만점왕 알파북

어휘편 6-1

본 알파북은 **어휘력 향상**에 도움이 될 만한

사자성어 와 **속담**으로 구성하였습니다.

예시를 통해 의미를 파악할 수 있도록 제시하였으며,

학습한 내용은 연습과 문제를 통해 확인해 볼 수 있습니다.

만점왕 알파북 어휘편으로 재미있게 어휘 능력을 키워 보세요!

차례

사자성어

차례

속담

사자성어

간담상조

肝膽相照

간 간 쓸개 담 서로 상 비출 조

서로 속마음을 터놓고 가까이 지내는 사이를 의미해요.

당나라 때 유종원과 유우석은 친한 친구였어요. 어느 날, 유종원은 유주 자사로, 유우석은 파주 자사로 발령을 받게 되었는데 유종원은 친구가 걱정이 되어 유우석 대신 파주에 가기로 마음먹었어요. 파주 지역은 국경과 이웃해 있어 위험한 데다 유우석은 몸이 약하고 늙은 어머니를 모시던 처지였기 때문이에요.

당나라의 유명한 문인이었던 한유는 유종원이 죽은 뒤 그의 묘비명을 다음과 같이 썼어요.

“어려운 상황에 처했을 때에야 진정한 절의가 드러나는 법이다. 평소에는 서로 간과 쓸개를 내보일 만큼 친하게 지내는 사람들도 이해관계가 얽히면 다투게 되는 경우가 매우 많다.”

바로 여기에서 ‘간담상조’가 유래되었습니다.

이렇게 사용해요! 간담상조하는 친구를 얻는 일은 매우 어렵다.

따라 쓰며 사자성어를 익혀요.

肝	肝				
간 간	간 간				
膽	膽				
쓸개 담	쓸개 담				
相	相				
서로 상	서로 상				
照	照				
비출 조	비출 조				

肝	膽	相	照

肝	膽	相	照

갈택이어

竭澤而漁

다할 갈 연못 택 말 이을 이 고기 잡을 어

잠깐의 욕심 때문에 앞일을 생각하지 않는 것을 뜻해요.

춘추 전국 시대, 진나라 문공은 어떻게 전략을 짜면 초나라를 이길 수 있을지 곰곰이 생각하다가 호언이라는 신하에게 의견을 물었어요. 그러자 호언은 이렇게 대답했어요.
"속임수를 써서 적군들을 혼란에 빠뜨리는 것이 좋겠습니다."
하지만 이옹이라는 신하는 이 의견에 반대했어요.
"폐하, 연못의 물을 모두 퍼낸다면 당장은 물고기를 잡을 수 있지만, 훗날 잡을 물고기들이 모두 없어지는 셈입니다. 마찬가지로 적군에게 속임수를 쓴다면 당장은 위기를 면하겠지만 훗날 다시 쓸 수는 없는 계책입니다. 그렇기 때문에 다른 방법을 찾는 것이 좋겠습니다."
이옹의 이 말에서 '갈택이어'가 유래되었어요.

이렇게 사용해요! 당장의 이익 때문에 음식점에서 음식의 양을 줄여 파는 것은 갈택이어에 불과하다.

따라 쓰며 사자성어를 익혀요.

竭	竭				
다할 갈	다할 갈				
澤	澤				
연못 택	연못 택				
而	而				
말 이을 이	말 이을 이				
漁	漁				
고기 잡을 어	고기 잡을 어				

竭	澤	而	漁

竭	澤	而	漁

개관사정

蓋 棺 事 定

덮을 개 관 관 일 사 정할 정

사람은 죽고 난 뒤에야 정당한 평가를 할 수 있다는 의미예요.

당나라의 시인 두보는 「도읍에서 봉선으로 전근 가는 소혜에게 드린다」라는 시를 쓴 적이 있어요. 그 시에는 다음과 같은 구절이 있답니다.

"장부의 일은 관 뚜껑이 덮인 뒤에야 비로소 결정된다."

이 구절에서 '개관사정' 이라는 말이 유래되었어요.

이렇게 사용해요! "개관사정이라는 말처럼, 시간이 흐른 뒤에야 그가 마냥 따뜻한 사람이 아니었다는 사실을 알 수 있었지."

따라 쓰며 사자성어를 익혀요.

蓋	蓋				
덮을 개	덮을 개				
棺	棺				
관 관	관 관				
事	事				
일 사	일 사				
定	定				
정할 정	정할 정				

蓋	棺	事	定

蓋	棺	事	定

공자천주

孔子穿珠

구멍 공 아들 자 뚫을 천 구슬 주

어진 사람도 남에게 배울 점이 있다는 뜻이에요.

중국의 이름난 학자인 공자에게는 진귀한 구슬 하나가 있었어요. 그런데 그 구슬은 구멍이 아홉 구비 굽은 구슬이었기 때문에 구멍에 실을 꿰는 것이 여간 힘든 일이 아니었어요. 구슬에 실을 꿸 방법을 고민하던 공자는 시골 아낙에게 물어보았어요.

"이 구슬에 실을 꿰려고 하는데 구멍이 아홉 구비나 굽어서 잘 되지 않는다네."

그러자 시골 아낙은 꿀을 사용해 보라고 했어요. 공자는 그 말을 듣고 개미 한 마리를 잡아다가 그 허리에 실을 묶고, 구슬 구멍의 한편에 놓았답니다. 그리고 그 반대편에 꿀을 살짝 묻혔어요. 그러자 개미가 구멍으로 쏙 들어가 반대편으로 나오는 것이 아니겠어요? 시골 아낙의 도움으로 공자는 구슬에 실을 꿸 수 있었답니다.

이렇게 사용해요! **공자천주**라는 말도 있듯, 모든 사람에게 배울 점이 있다.

따라 쓰며 사자성어를 익혀요.

孔	孔				
구멍 공	구멍 공				
子	子				
아들 자	아들 자				
穿	穿				
뚫을 천	뚫을 천				
珠	珠				
구슬 주	구슬 주				

孔	子	穿	珠

孔	子	穿	珠

사자성어 5

구밀복검

口 蜜 腹 劍

입 구 꿀 밀 배 복 칼 검

겉으로는 친절한 척하나 마음속으로는 음흉한 생각을 품고 있다는 의미예요.

당나라 현종은 처음에는 정치를 잘하였으나 나중에는 양귀비라는 여인에게 흠뻑 빠져 정치는 뒷전으로 미루어 두었어요. 그 무렵 이임보라는 사람이 재상이었는데 이임보는 황제에게는 아부를 잘했지만 능력이 출중한 인재들, 황제에게 충성 어린 말을 하려는 신하들은 모함하여 죽이거나 내쫓았어요. 황제에게는 훌륭한 신하인 척했지만 속으로는 음흉한 음모를 꾸미고 있었던 거예요. 이러한 이임보를 보며 세상 사람들은 이렇게 말했답니다.

"이임보는 입에는 꿀을 바른 듯하지만 뱃속에는 날카로운 칼을 품고 있다."

이 말에서 '구밀복검'이 유래되었어요.

이렇게 사용해요! 이 책의 주인공인 준수는 겉으로는 다른 사람들을 도와주는 척했으나 사실은 무서운 생각을 품고 있었다. 구밀복검이라는 고사성어가 준수에게 딱 맞는다.

따라 쓰며 사자성어를 익혀요.

口	口				
입 구	입 구				
蜜	蜜				
꿀 밀	꿀 밀				
腹	腹				
배 복	배 복				
劍	劍				
칼 검	칼 검				

口	蜜	腹	劍

口	蜜	腹	劍

낭중지추

囊中之錐

주머니 낭 가운데 중 갈 지 송곳 추

뛰어난 재주를 가진 사람은 평범한 사람들 속에 숨어 있어도 저절로 알려진다는 의미예요.

조나라 혜문왕의 동생이었던 평원군은 초나라로 떠나면서 제자들 중 재주가 뛰어난 사람 스무 명을 뽑아 데리고 가기로 했어요. 열아홉 명을 뽑고 나머지 한 명을 누구로 뽑아야 할지 고민하고 있는데 모수라는 사람이 하겠다고 나섰어요.

"뛰어난 사람은 주머니 속에 든 송곳 끝이 밖으로 나오는 것처럼 어떤 상황에 처해 있어도 그 날카로움이 자연히 드러나는 법이다. 하지만 자네는 3년이 넘도록 드러나지 않았다."

그러자 모수가 이렇게 말했어요.

"이전에 저를 주머니 안에 넣어 주셨더라면 이미 송곳 끝뿐만 아니라 손잡이까지 다 밖으로 나왔을 것입니다. 이제라도 넣어 주십시오."

모수의 말에 감탄한 평원군은 그를 뽑아 주었어요. 그리고 모수가 활약한 덕에 조나라는 초나라와 동맹을 맺을 수 있었답니다.

이렇게 사용해요! 선화는 **낭중지추**라는 말처럼 가만히 있어도 두각이 드러났다.

따라 쓰며 사자성어를 익혀요.

囊	囊				
주머니 낭	주머니 낭				
中	中				
가운데 중	가운데 중				
之	之				
갈 지	갈 지				
錐	錐				
송곳 추	송곳 추				

囊	中	之	錐

囊	中	之	錐

사자성어 7

단사표음

簞 食 瓢 飮

소쿠리 단 먹이 사 바가지 표 마실 음

한 소쿠리의 밥과 표주박 한 바가지의 물처럼 소박하고 청렴한 삶을 의미해요.

공자는 일생 동안 약 3천 명에 이르는 많은 제자들을 거느렸어요. 그중에서도 안회라는 사람은 학문이 뛰어나고 성품이 어질어 공자에게 많은 사랑을 받았어요. 공자가 얼마나 안회를 아꼈던지 공자가 안회를 칭찬한 말이 기록을 통해 몇 가지 전해지고 있어요.

"어질구나, 안회여! 한 소쿠리의 밥과 표주박 한 바가지의 물로 누추한 곳에 살면, 다른 사람들은 그 괴로움을 견디어 내지 못하건만 안회는 오히려 그것을 즐거움으로 삼는구나. 어질구나, 안회여!"

이 구절에서 '단사표음'이라는 사자성어가 유래되었어요.

이렇게 사용해요! 비록 지금 **단사표음**의 삶을 살고 있지만 나름대로 만족하고 있다.

따라 쓰며 사자성어를 익혀요.

簞	簞				
소쿠리 단	소쿠리 단				
食	食				
먹이 사	먹이 사				
瓢	瓢				
바가지 표	바가지 표				
飮	飮				
마실 음	마실 음				

簞	食	瓢	飮

簞	食	瓢	飮

사자성어 8

당랑거철

螳螂拒轍

사마귀 당 사마귀 랑 막을 거 바퀴 자국 철

자기 분수도 모르고 강자에게 무모하게 달려든다는 의미예요.

제나라에 장공이라는 사람이 있었어요. 어느 날, 그가 사냥을 하기 위해 수레를 타고 길을 나섰는데, 갑자기 사마귀 한 마리가 수레 앞을 가로막는 게 아니겠어요? 앞발을 높이 쳐드는 것이 마치 공격 자세를 한 사람 같았어요. 그 모습을 본 장공이 하인에게 무슨 벌레인지 물었어요.
"예, 저것은 사마귀라는 벌레인데, 앞으로 나아갈 줄만 알지 물러설 줄은 모릅니다. 제 힘은 생각하지도 않고 무모하게 달려드는 놈이지요."
하인의 말을 들은 장공은 감탄하며 말했어요.
"저 사마귀가 만약 사람이었다면 세상에서 가장 용맹한 장수가 되었을 것이다. 그 용기가 기특하니 수레를 돌려 피해 가도록 해라."

이렇게 사용해요! "햄스터가 큰 개에게 마냥 덤벼드는 것이, 당랑거철이로구나."

따라 쓰며 사자성어를 익혀요.

螳	螳				
사마귀 당	사마귀 당				
螂	螂				
사마귀 랑	사마귀 랑				
拒	拒				
막을 거	막을 거				
轍	轍				
바퀴 자국 철	바퀴 자국 철				

螳	螂	拒	轍

螳	螂	拒	轍

사자성어 9

백아절현

伯 牙 絶 絃

맏 백　어금니 아　끊을 절　줄 현

자기를 알아주는 매우 친한 친구의 죽음을 슬퍼한다는 의미예요.

춘추 시대에 거문고의 명인으로 유명했던 백아에게는 종자기라는 절친한 친구가 있었어요. 종자기는 유일하게 백아의 연주를 제대로 이해하고 알아주는 매우 각별한 친구였답니다. 그런데 종자기가 그만 병으로 세상을 떠나고 말았어요. 백아는 몹시 슬퍼하며 거문고의 줄을 끊어 버렸어요. 그리고 다시는 거문고를 연주하지 않으리라 결심했어요.

"오직 종자기만이 내 연주를 제대로 이해하고 알아주는 친구였다. 그런 종자기가 병으로 죽어 버렸으니 이제 날 알아주는 이는 세상에 없구나!"

이렇게 사용해요! 진아는 백아절현할 수 있는 하나밖에 없는 친구이다.

따라 쓰며 사자성어를 익혀요.

伯	伯				
맏 백	맏 백				
牙	牙				
어금니 아	어금니 아				
絶	絶				
끊을 절	끊을 절				
絃	絃				
줄 현	줄 현				

伯	牙	絶	絃

伯	牙	絶	絃

사자성어 10

용호상박

龍虎相搏

용 용　범 호　서로 상　칠 박

힘센 두 사람이 승부를 겨룬다는 의미예요.

중국의 삼국 시대에 마초라는 사람이 있었어요. 그는 관우, 장비, 조자룡 등과 함께 촉나라의 장군으로 활약했어요. 마초는 특히 위나라의 조조와 원수 사이였어요. 조조가 그의 아버지를 죽였기 때문이에요. 그래서 전쟁에서 조조를 만날 때마다 마초는 있는 힘껏 그를 상대했답니다. 조조도 마찬가지였어요. 사람들은 조조를 용, 마초를 호랑이로 비유하여 말하곤 했는데, 결과적으로 용이 호랑이를 이겼답니다. '용호상박'은 조조와 마초의 관계에서 유래했어요.

이렇게 사용해요! 두 선수의 경기는 그야말로 용호상박이었다.

따라 쓰며 사자성어를 익혀요.

龍	龍				
용 용	용 용				
虎	虎				
범 호	범 호				
相	相				
서로 상	서로 상				
搏	搏				
칠 박	칠 박				

龍	虎	相	搏

龍	虎	相	搏

사자성어 11

위편삼절

韋 編 三 絕

가죽 **위** 엮을 **편** 석 **삼** 끊을 **절**

책을 엮은 가죽끈이 세 번이나 끊어질 만큼 열심히 공부한다는 의미예요.

공자는 책을 매우 많이 읽고 공부했는데, 특히 『주역』을 열심히 공부했어요. 『주역』은 매우 어려운 책이지만 공자는 책을 엮은 가죽끈이 세 번이나 끊어질 정도로 밤낮으로 열심히 공부하여 구절 하나하나의 뜻을 깨우쳤답니다. 이윽고 공자는 『주역』의 내용을 해설하는 글을 쓸 정도가 되었어요. 그런데도 때때로 이렇게 말하곤 했답니다.

"나에게 시간이 좀 더 있었다면 『주역』을 완전히 깨칠 수 있을 텐데 아쉽구나."

'위편삼절' 은 공자의 학문에 대한 열정에서 유래되었어요.

이렇게 사용해요! "이번 시험에서 행운을 바라지 말고 **위편삼절**하도록 해."

따라 쓰며 사자성어를 익혀요.

韋	韋				
가죽 위	가죽 위				
編	編				
엮을 편	엮을 편				
三	三				
석 삼	석 삼				
絶	絶				
끊을 절	끊을 절				

韋	編	三	絶

韋	編	三	絶

사자성어 12

절차탁마

切 磋 琢 磨

끊을 절 갈 차 다듬을 탁 갈 마

옥이나 돌을 깎고 다듬고 갈아 빛을 낼 만큼 학문과 덕을 부지런히 닦는다는 의미예요.

『시경』에 실려 있는 「기욱」이라는 시를 보면 다음과 같은 구절이 나와요.

"여절여차 여탁여마"

'끊는 듯 닦는 듯, 쪼는 듯 가는 듯' 이라는 뜻이에요. '절차탁마' 는 이 구절에서 유래된 사자성어랍니다. 옥이나 돌을 깎고 다듬고 가는 것처럼 수양을 할 때에는 많은 정성을 들여야 한다는 뜻이에요.

이렇게 사용해요!

"절차탁마하면 언젠가 그 책을 완전히 이해할 수 있을 거야."

따라 쓰며 사자성어를 익혀요.

切	切				
끊을 절	끊을 절				
磋	磋				
갈 차	갈 차				
琢	琢				
다듬을 탁	다듬을 탁				
磨	磨				
갈 마	갈 마				

切	磋	琢	磨

切	磋	琢	磨

사자성어 13

조강지처

糟糠之妻

지게미 **조** 겨 **강** 갈 **지** 아내 **처**

어려운 시기에 고생을 함께한 아내를 뜻해요.

후한의 광무제는 자신의 누이인 호양 공주의 재혼 상대를 물색하는데, 강직하고 어진 송홍이라는 신하가 눈에 들어왔어요. 하지만 송홍은 이미 결혼한 상태였지요. 그래서 광무제는 송홍에게 물어보았어요.

"사람이 신분이 높아지면 옛 친구를 버리고, 부자가 되면 아내를 버린다는 말이 있소. 경은 이에 대해 어떻게 생각하오?"

"신은 생각이 좀 다르옵니다. 신분이 천할 때의 친구일수록 잊지 말아야 하고, 어려울 때 술지게미와 쌀겨로 끼니를 이으며 고생을 함께한 아내는 결코 버려서는 안 된다고 생각합니다."

송홍의 말을 듣고 광무제는 송홍을 매부로 삼아야겠다는 생각을 단념했어요.

이렇게 사용해요! 함께 자란 친구를 배신하는 것은 **조강지처**를 등지는 것만큼 의리 없는 행동이다.

따라 쓰며 사자성어를 익혀요.

糟	糟				
지게미 조	지게미 조				
糠	糠				
겨 강	겨 강				
之	之				
갈 지	갈 지				
妻	妻				
아내 처	아내 처				

糟	糠	之	妻

糟	糠	之	妻

사자성어 14

포호빙하

暴虎馮河

사나울 **포** 범 **호** 걸어 건널 **빙** 강 **하**

만용을 부리며 무모하게 행동한다는 의미예요.

공자의 제자 중 안회는 어질고 학식이 뛰어났지만 매우 가난했어요. 하지만 공자는 그런 안회를 무척 아꼈답니다. 자로라는 제자는 그것을 못마땅하게 여겼어요.

"스승님, 대군을 지휘하는 역할을 맡으신다면 누구와 함께 하시겠습니까?"

자로는 무예에 자신이 있었거든요. 하지만 공자의 대답은 자로의 예상과는 달랐어요.

"맨손으로 호랑이를 잡고 큰 강을 걸어서 건너는 사람은 자신이 죽더라도 후회하지 않을 것이니 그런 사람과는 일하지 않을 것이다. 무슨 일을 하든 조심스럽게 임하며 계획을 철저히 세워 결국 성공으로 이끄는 사람과 함께 일할 것이다."

'포호빙하'는 여기에서 유래된 사자성어랍니다.

이렇게 사용해요! 그는 포호빙하하다가 목숨을 잃을 뻔했다.

따라 쓰며 사자성어를 익혀요.

暴	暴				
사나울 포	사나울 포				
虎	虎				
범 호	범 호				
馮	馮				
걸어 건널 빙	걸어 건널 빙				
河	河				
강 하	강 하				

暴	虎	馮	河

暴	虎	馮	河

한우충동

汗 牛 充 棟

땀 한 소 우 채울 충 마룻대 동

수레에 실어 옮기면 소가 땀을 흘리고, 집에 쌓아 올리면 기둥에 닿을 정도로 책이 많다는 의미예요.

'한우충동'은 당나라의 유명한 문장가 유종원이 동시대의 학자 육문통의 묘표(무덤 앞에 세우는 푯돌.)에 쓴 말이에요. 유종원은 공자가 쓴 『춘추』라는 책의 본뜻을 잘 간파한 육문통의 학설이 빛을 보지 못한 현실을 안타까워하며 당시 학계의 상황을 다음과 같이 표현했어요.
"학자들이 『춘추』를 연구한 글과 책이 어찌나 많은지, 집에 쌓아 올리면 기둥에 닿을 정도이고 수레에 실어 옮기면 소와 말이 땀을 흘릴 지경이다."
여기에서 '한우충동'이라는 사자성어가 유래되었답니다.

이렇게 사용해요! 선생님 댁의 창고에는 책이 한우충동으로 쌓여 있다.

따라 쓰며 사자성어를 익혀요.

汗	汗				
땀 한	땀 한				
牛	牛				
소 우	소 우				
充	充				
채울 충	채울 충				
棟	棟				
마룻대 동	마룻대 동				

汗	牛	充	棟

汗	牛	充	棟

메모

속 담

속담 1

고슴도치도 제 새끼는 함함하다고 한다

털이 바늘같이 꼿꼿한 고슴도치도 자기 새끼의 털은 부드럽다고 하는 것처럼, 자기 자식의 나쁜 점은 모르고 도리어 자랑한다는 의미예요. (함함하다: 털이 보드랍고 반지르르하다.)

이렇게 사용해요!

고슴도치도 제 새끼는 함함하다고 한다더니만 유진이의 어머니는 유진이의 거만한 태도를 도리어 자신감 있는 모습이라며 자랑했다.

더 알아보기

- **비슷한 속담**: 고슴도치도 제 새끼가 제일 곱다고 한다 / 고슴도치도 제 새끼만은 곱다고 쓰다듬는다

속담 2

고양이한테 생선을 맡기다

어떤 물건을 믿을 수 없는 사람에게 맡겨 놓고 마음이 놓이지 않아 걱정이 된다는 의미예요.

이렇게 사용해요!

"잠시 맡겨 놓은 돈을 다 써 버리면 어떻게 하니? 아유, 내가 고양이한테 생선을 맡겨 놓았구나!"

더 알아보기

- **비슷한 속담**: 고양이 보고 반찬 가게 지키라는 격이다 / 고양이한테 반찬 단지 맡긴 것 같다

문제를 풀며 속담을 익혀요!

1 **다음 속담의 빈칸에 알맞은 말을 써넣으시오.**

(1) 고양이한테 (   )을 맡기다
(2) (   )도 제 새끼는 함함하다고 한다

2 **다음 상황에 알맞은 속담을 고르시오. (   )**

지현이는 친구에게 받은 맛있는 초콜릿을 들고 가다가 동생을 만났습니다. 그런데 갑자기 화장실이 급해졌어요. 지현이는 어쩔 수 없이 동생에게 초콜릿을 맡기고 화장실에 다녀왔지요. 서둘러 다녀왔지만 아니나 다를까 초콜릿은 절반밖에 남아 있지 않았답니다.

① 바람 앞의 등불
② 물 밖에 난 고기
③ 공든 탑이 무너지랴
④ 담벼락하고 말하는 셈이다
⑤ 고양이한테 생선을 맡기다

3 **다음 대화에 어울리는 속담을 찾아 선으로 이으시오.**

(1) 하민: 나는 눈이 너무 작은 것 같아.
예진: 그래도 네 부모님 눈에는 너가 가장 예쁠 거야. •

(2) 석민: 동생한테 아이스크림을 맡겨 두었더니 잠깐 나갔다 온 새에 다 먹어 버렸지 뭐야!
동현: 그러니까 먹을 것은 동생에게 맡기면 안 돼. •

• ① 수박 겉 핥기
• ② 곪으면 터지는 법
• ③ 대장의 집에 식칼이 논다
• ④ 고양이한테 생선을 맡기다
• ⑤ 고슴도치도 제 새끼는 함함하다고 한다

속담 3

공든 탑이 무너지랴

많은 힘과 정성을 들인 일은 그 결과가 결코 헛되지 않는다는 의미예요.

이렇게 사용해요!

"시험 결과에 대해서 너무 걱정하지 마. 공든 탑이 무너지겠어? 열심히 했으니 좋은 결과를 얻을 수 있을 거야."

더 알아보기

- **공든 탑도 개미구멍으로 무너진다:** 조그마한 실수나 방심으로 큰일을 망쳐 버린다는 말.

속담 4

구관이 명관이다

어떤 일이든 경험이 있고 익숙한 사람이 더 잘한다는 뜻이에요. 나중 사람을 겪어 봄으로써 먼저 사람이 좋은 줄을 알게 된다는 의미로도 쓰여요.

이렇게 사용해요!

"네가 해마다 학급 회장이 되는 이유는 경험이 많기 때문인 것 같아. 구관이 명관이라는 말도 있잖아?"

더 알아보기

- **나간 머슴이 일은 잘했다:** 사람은 무엇이든지 지나간 것, 잃은 것을 애석하게 여기고 현재 가지고 있는 것보다 이전 것이 더 낫다고 생각함을 비유적으로 이르는 말.

문제를 풀며 속담을 익혀요!

1 다음 속담의 빈칸에 알맞은 말을 써넣으시오.

(1) 구관이 (   )이다
(2) 공든 (   )이 무너지랴

2 다음 상황에 알맞은 속담을 고르시오. (   )

미진이와 승재는 함께 학급 신문을 만들기로 했다. 어디에 어떤 내용을 넣으면 좋을지 척척 의견을 말하고 능숙하게 꾸미는 승재와 달리 미진이는 의견을 말하지도 못하고 꾸미는 데에도 서툴렀다. 알고 보니 승재는 작년에도 학급 신문을 만들었던 경험이 있었고, 미진이는 한 번도 학급 신문을 만들어 본 적이 없었기 때문이었다.

① 구관이 명관이다
② 백지장도 맞들면 낫다
③ 못된 송아지 엉덩이에서 뿔이 난다
④ 나는 바담 풍 해도 너는 바람 풍 해라
⑤ 뱁새가 황새를 따라가면 다리가 찢어진다

3 다음 대화에 어울리는 속담을 찾아 선으로 이으시오.

(1) 영희: 저는 도서관 봉사를 해 본 적이 있어서 잘할 수 있습니다.
사서 선생님: 그렇군요. 아무래도 경험이 있으니 더 잘하겠지요. •

(2) 욱진: 아, 내일 시험을 망칠 것 같아…….
종원: 그동안 열심히 준비했으니까 분명히 잘 볼 거야. •

• ① 구관이 명관이다
• ② 공든 탑이 무너지랴
• ③ 찬물도 위아래가 있다
• ④ 자다가 봉창 두드린다
• ⑤ 소문난 잔치에 먹을 것 없다

남의 밥에 든 콩이 굵어 보인다

속담 5

자기 것보다 남의 것이 더 좋아 보인다는 의미예요.

이렇게 사용해요!

"남의 밥에 든 콩이 굵어 보인다고, 내 바이올린보다 언니 것이 더 좋아 보인다."

더 알아보기

- **비슷한 속담**: 남의 손의 떡은 커 보인다 / 남의 손의 떡이 더 커 보이고 남이 잡은 일감이 더 헐어 보인다

남의 잔치에 감 놓아라 배 놓아라 한다

속담 6

자기와는 전혀 상관이 없는 다른 사람의 일에 공연히 간섭하고 참견하는 것을 의미해요.

이렇게 사용해요!

"남의 잔치에 감 놓아라 배 놓아라 하지 말고 네 일이나 제대로 해!"

더 알아보기

- **비슷한 속담**: 사돈집 잔치에 감 놓아라 배 놓아라 한다

문제를 풀며 속담을 익혀요!

1 **다음 속담의 빈칸에 알맞은 말을 써넣으시오.**

(1) 남의 밥에 든 (　　　　　)이 굵어 보인다

(2) 남의 잔치에 (　　　　　) 놓아라 (　　　　　) 놓아라 한다

2 **다음 상황에 알맞은 속담을 고르시오.** (　　　)

순영이는 크리스마스 선물로 크레파스를 받고, 순영이의 언니는 필통을 받았어요. 선물이 크레파스라는 사실을 알았을 때 순영이는 뛸 듯이 기뻤어요. 몇 달 전부터 새 크레파스가 매우 갖고 싶었거든요. 그런데 언니가 받은 필통을 보자마자 자신이 받은 선물이 초라해 보이는 거예요. 새 크레파스로 그림을 그려도 기분은 풀리지 않았어요.

① 땅 짚고 헤엄치기
② 달걀로 바위 치기
③ 남의 밥에 든 콩이 굵어 보인다
④ 남의 잔치에 감 놓아라 배 놓아라 한다
⑤ 밀가루 장사하면 바람이 불고 소금 장사 하면 비가 온다

3 **다음 대화에 어울리는 속담을 찾아 선으로 이으시오.**

(1)
명하: 야, 네 라면이 더 맛있어 보인다.
진성: 네 냉면이 더 맛있을 거 같은데?

(2)
윤호: 장군이오!
주하: 장기를 그렇게 두면 안 되지. 이럴 때에는 저쪽으로 옮겨서…….
윤호: 왜 참견이니? 내가 알아서 할게.

• ① 구멍은 깎을수록 커진다
• ② 대장의 집에 식칼이 논다
• ③ 남의 밥에 든 콩이 굵어 보인다
• ④ 도둑을 맞으려면 개도 안 짖는다
• ⑤ 남의 잔치에 감 놓아라 배 놓아라 한다

속담 7

다 된 죽에 코 풀기

잘 되어 가던 일을 마지막에서 망쳐 버린다는 뜻이에요. 남의 다 된 일을 악랄한 방법으로 방해하는 것을 의미하기도 해요.

이렇게 사용해요!

나무 막대로 탑을 높게 쌓다가 마지막에 나무 막대를 잘못 건드리는 바람에 무너져서 그야말로 다 된 죽에 코를 풀어 버린 것처럼 되었다.

더 알아보기

- **비슷한 속담**: 다 된 죽에 코 빠졌다 / 잘되는 밥 가마에 재를 넣는다

속담 8

단단한 땅에 물이 괸다

헤프게 쓰지 않고 아끼는 사람이 재물을 모은다는 의미예요.

이렇게 사용해요!

"단단한 땅에 물이 괸다고 하니, 100원이라도 헤프게 쓰지 마라."

더 알아보기

- **비슷한 속담**: 굳은 땅에 물이 괸다

문제를 풀며 속담을 익혀요!

1 **다음 속담의 빈칸에 알맞은 말을 써넣으시오.**

(1) 다 된 (　　　　　)에 코 풀기
(2) 단단한 땅에 (　　　　　)이 괸다

2 **다음 빈칸에 알맞은 속담을 고르시오.** (　　　)

할머니께서는 '(　　　　　　　　　　).' 인(는) 줄도 모르고 맛있는 미역국에 소금을 더 넣어서 짜게 만드셨다.

① 다 된 죽에 코 풀기
② 단단한 땅에 물이 괸다
③ 중이 제 머리를 못 깎는다
④ 비 온 뒤에 땅이 굳어진다
⑤ 먹기는 아귀같이 먹고 일은 장승같이 한다

3 **다음 상황에 어울리는 속담을 찾아 선으로 이으시오.**

(1) 연희는 김밥을 만들려고 김 위에 밥과 야채를 잘 얹었다. 그런데 마지막에 잘 말지를 못해서 그만 김밥을 망쳐 버렸다. •

(2) 호현이는 집안 사정이 어려워서 작은 돈 하나도 헤프게 쓰지 않았다. 그 결과 돈을 차곡차곡 모아서 부자가 되었다. •

• ① 엎드려 절 받기
• ② 다 된 죽에 코 풀기
• ③ 단단한 땅에 물이 괸다
• ④ 못 먹는 감 찔러나 본다
• ⑤ 뱁새가 황새를 따라가면 다리가 찢어진다

속담 9

목마른 놈이 우물 판다

가장 급하고 일이 필요한 사람이 나서서 그 일을 서둘러 하게 되어 있다는 뜻이에요.

이렇게 사용해요!

목마른 놈이 우물 판다는 말대로, 평소에는 손 하나 까딱 하지 않던 동생이 배가 고프니 자기가 직접 라면을 끓이기 시작했다.

더 알아보기

- **비슷한 속담:** 갑갑한 놈이 우물 판다

속담 10

물은 건너 보아야 알고 사람은 지내보아야 안다

사람은 겉만 보고는 알 수 없으며, 오랫동안 함께 지내보아야 안다는 의미예요.

이렇게 사용해요!

"물은 건너 보아야 알고 사람은 지내보아야 안다는 말도 있잖아. 저 애가 첫인상은 좀 차가워 보이지만 사실은 마음이 따뜻하고 친절한 아이일 수도 있지."

더 알아보기

- **비슷한 속담:** 깊고 얕은 물은 건너 보아야 안다

문제를 풀며 속담을 익혀요!

1 **다음 속담의 빈칸에 알맞은 말을 써넣으시오.**

(1) 목마른 놈이 (　　　　　　) 판다
(2) 물은 건너 보아야 알고 (　　　　　　)은 지내보아야 안다

2 **다음 빈칸에 알맞은 속담을 고르시오.** (　　　)

> " '(　　　　　　　　　　　　).' (라)는 말도 있잖아. 스파게티가 먹고 싶으면 네가 직접 만들어 먹어!"

① 도토리 키 재기
② 옥에도 티가 있다
③ 목마른 놈이 우물 판다
④ 믿는 도끼에 발등 찍힌다
⑤ 물은 건너 보아야 알고 사람은 지내보아야 안다

3 **다음 상황에 어울리는 속담을 찾아 선으로 이으시오.**

(1) 윤수는 매달 사서 보는 과학 잡지가 있다. 보통은 어머니께서 사다 주시는데 이번에는 빨리 읽고 싶어서 윤수가 직접 가서 사왔다. •

(2) 진수는 덩치가 커서 처음 보는 친구들은 쉽게 다가서지 못한다. 하지만 사실은 매우 착한 친구여서 오래 알고 지낸 친구들은 모두 진수를 좋아한다. •

• ① 설마가 사람 잡는다
• ② 앓던 이 빠진 것 같다
• ③ 목마른 놈이 우물 판다
• ④ 죽 쑤어 개 좋은 일 하였다
• ⑤ 물은 건너 보아야 알고 사람은 지내보아야 안다

속담 정답

39쪽

1. (1) 생선 (2) 고슴도치
2. ⑤
3. (1) ⑤ (2) ④

41쪽

1. (1) 명관 (2) 탑
2. ①
3. (1) ① (2) ②

43쪽

1. (1) 콩 (2) 감, 배
2. ③
3. (1) ③ (2) ⑤

45쪽

1. (1) 죽 (2) 물
2. ①
3. (1) ② (2) ③

47쪽

1. (1) 우물 (2) 사람
2. ③
3. (1) ③ (2) ⑤